San toribio de romo

Índice

Recomendación

Oraciones para suplicar por toda la familia

Santo rosario

Recomendación

Se recomienda asistir constantemente a la santa eucaristía y ofrecer una en su honor, pedir perdón por nuestros pecados y realizar obras de caridad

Oracion para la familia

San toribio de romo te invoco si es voluntad de nuestro creador para que vengas a mi hogar y tu luz sea la que bendiga todas nuestras areas entregándonos las bendiciones inmensas que tiene el creador santo amado, te suplico que alejes la incomprensión, la desunión, la discordia, amado san toribio de roma te suplico que nos protegas de todo ataque maligno que se interpongan en el propósito del altísimo para nuestras vidas, san toribio de roma, te imploro que el amor siempre reine en nuestro entorno acércanos al llamado glorioso del padre

Un credo

Oracion de los padres hacia los hijos

San toribio de romo vengo a ti con esta veladora encendida a suplicarte que acompañes en todo el camino a mis hijos, se tu aquel que prepara su destino para que no encuentre obstáculo que le impida cumplir con su propósito en la vida, y si ya encuentra muros seas tu el soldado que batalla con el para librar sus batallas, te suplico que limpies y sanes su corazón para que En el habite el creador, amado santo dame sabiduría para poderlo aconsejar certeramente protege su salud para que tenga el vigor de predicar tu palabra que sus mesas siempre estén llena de provisiones con el sudor de su frente, te imploro amado que lo apadrines y lo protegas cada minuto de su vida

Un padre nuestro

Oracion de los hijos hacia los padres

San toribio, amigo de los solitario, guía de los forasteros, vengo a ti con esta veladora encendida a suplicarte que protegas a mis padres, susúrrales concejos sabios para podernos guiar en las situaciones que no podemos manejar, llenalos siempre de bienaventuranzas en sus vidas que nunca la escasez toque sus puertas, san toribio de romo te suplico que los conduzcas al regazo amado del padre celestial, permite que en el futuro estén orgullosos de haber cumplido a cabalidad la tarea de ser padres, san toribio que mi corazón siempre los honrre hasta el llamado de dios a su regazo, amigo mío se el compañero en sus trabajos pero sobre todo aléjalos de corazones con malas intenciones que la prosperidad siempre los acompañen

Santa maría

Oracion para los hermanos

Dios amado, te doy gracias por enviar a mi hermando a este mundo porque la hermandad es compañía y solidaridad, el mandamiento dice amad al prójimo como a ti mismo, que mas grande es amar a tu hermano, permite con tu luz que la unión, la solidaridad y el compromiso siempre este entre nosotros siendo el sostén el uno del otro, san toribio te invito a que tambien hagas parte de esta hermandad y nos conduzcas a realizar con éxito el propósito de dios para nosotros, siempre entregando respecto y amor a nuestro padre celestial

Dos gloria

Oracion para los abuelos

Se san toribio, se amigó mío, compañero en mi soledad, y consolador cuando no tengo esperanza, motivador amoroso para no perder la fe, te suplico de rodillas por mis abuelos, permite que el creador perdone sus fallas pasadas y que el pasado triste no lo recuerden que sean prudentes a la hora de darnos concejos que edifican, aclamado san toribio te suplico que su salud sea siempre estable y podamos honrarlos por el ejemplo de vida que nos dio cada día. Nunca dejes que seamos indiferente a ellos el cual les produce soledad, siempre motivanos a visitarlos con el más grandioso amor

Dos salve reina y madre

Oracion para los sobrinos

San toribio, vengo a ti con esta veladora encendida y con este incendio en tu lindo altar que he construido para ti, a suplicarte que seas aquel que me ayuda a solucionar mis inconvenientes o a soportar aquellas pruebas que para bien mío el creador me ha enviado y se tu el soldado que me ayuda a batallar frente a los ataques del maligno, te suplico por la vida espiritual de cada uno de mis sobrinos que el creador sea el primero en su corazón y en sus vidas que todo lo que hagan sea entorno a la sagrada familia, llenalos de salud, de trabajo, de amor protégelos en todos sus senderos hasta el día de sus muertes amen

Salmo 91

Oracion para los tíos

san toribio amigo de los forasteros, amigo de los inmigrantes, consuelo de aquellos que tienen sus familiares lejos, se que el creador es el único que puede entregarnos la salvación por eso te suplico que vengas hacia mí para encontrar el perdón de mis culpas visualizando tu ejemplo con el estilo de vida que tuviste en tu vida terrenal, te suplico que atiendas las aflicciones y las necesidades de mis tíos pero sobre todo dales la oportunidad de limpiar sus corazones para que nada se interponga en su salvación conduciéndolos al jardín grandioso del creador

salmo 23

Oracion para los primos

Mis primos son mis segundos hermanos, vengo a ti con humildad a interceder por ellos para que aclares sus vidas y prepares el destino que ellos tiene que recorrer para no encontrar oscuridad ni incertidumbre, santo sincero y correcto, aléjalos de los vicios y de personas con malas intenciones, ayúdalos a que tengan una vida correcta, sincera, justa y decente haciendo de sus espíritus un agradable aroma al creador de lo infinito,

san toribio de romo cena con ellos
y mira aquellos defectos que no
pueden   cambiar   y   hazlos
conscientes de sus errores para
conducirlos al abrazo fraterno de
la santísima trinidad

Salmo 115

Oracion para los esposos

Se que la persona que esta a mi
lado, es la que escogí para
compartir la vida, te suplico si es
tu voluntad que fortifiques esta
relación,   llenándola   de
comprensión,   solidaridad,

compromiso, ternura y comprensión que seamos el uno del otro el sostén cuando los ataques malignos del mundo nos derriben, puesto que un matrimonio es una sola carne, amado alejarnos de las tentaciones que deseen dañar esta relación y este amor, querido san toribio que el trabajo este abundante siempre para proveer el hogar y que la sabiduría por tus susurros nos guíen a manejar con certeza nuestro nido de amor

Salmo 66

Oracion para los amigos

San toribio, vengo ante ti cansado y sediento con la necesidad de ti de tu espiritu y tu presencia, te suplico por aquellos hermanos que he escogido en mi destino para ser mi compañia en los momentos dificiles y para los momentos alegres, querido amado toribio que nunca la envidia melodee nuestro sendero, que nos perdonemos aquellas ofensas intencionadas y aquellas que no son conscientes, san toribio proteje cada camino, cada sendero, llenalos de prosperidad en todas sus metas que encuentre su propio destino y su propia familia para asi tener felicidad a su paso amen

Dos salve reina y madre

Oracion para el trabajo

Vengo a ti san toribio, con esta veladora encendida para que bendigas el medio por el cual gano el dinero que me provee de las necesidades que el mundo terrenal me obliga a cumplir, te imploro que me ayudes a solucionar con éxito los inconvenientes laborales pero sobre todo que en la jornada dios sea mi ayudador puesto que el es mi universo el único dador de amor tranquilo, aclamado san toribio, que mis relaciones laborales sean amenas y agradables que la envidia y la competencia no habiten en mi trabajo dando así prosperidad en

mi existencia pero recuérdame
que el creador es el dueño de mi
tiempo y de mi espacio

Dos padres nuestros

Oracion para la salud

La salud, divino y gran tesoro a
conservar, hombre sabio de
pensamientos que edifican
vidas, san toribio de romo
patrono de los que viven en otras
tierras no siendo las natales, te
imploro que tu poder dado por el
creador sea mi alimento el cual

me sana el corazón y cada
órgano de mi cuerpo, cada célula,
cada partícula para tener el vigor
de cumplir el propósito que el
creador tiene para mi vida, san
toribio permite que en tierras
extrañas dios sea mi
pensamiento día y noche porque
el idioma de dios es universal,
san toribio se mi medico , mi
medicina, mi sanidad en las
cirugías , en los tratamientos,
hazme victorioso de este percance
amen

Salmo 99

Oracion para el amor

San toribio de roma, deseo caminar con una persona digna de amar, se que dios y tu gracia me traerán un ser que este comprometido con el creador de llevar una vida justa y sana, envíame una mano de apoyo una dulce compañia, atráela hacia mí para llevar junto con dios el control de nuestras vidas, logrando metas, y propósitos formando una relación que alegre nuestros corazones y haga mas amena nuestro transito por la vida, amado san toribio sé que el poder de dios me enviara el amor personal que nunca imagine porque tú y el dios de todo lo existente quiere lo mejor para acabar con la soledad amen

Dos padres nuestros

Oracion para los fallecidos

Santo creador tú que has llamado a tu hijo(decir el nombre del fallecido) te encomiendo que le perdones todas sus culpas y pueda gozar del amor majestuoso que solo tu regazo puede entregar, amado creador permite que disfrute de la eternidad llena de felicidad que pueda habitar en tu casa con un eterno y feliz descanso. Que el camino que conduce a ti nuestro amigo y nuestro hermano san toribio de romo lo acompañe para arrebatarlo de las garras de cualquier ente que lo desee desviar del camino

Dos credos

Oracion para los enfermos

santo creador, sé que tú eres fiel, a todo aquel que te ama, y predica tu palabra, venimos a ti con humildad para rogarte que perdonas todas las faltas de mi ser querido(decir el nombre del enfermo) sé que tu hijo estará feliz de que lo sanes , puesto que no hay felicidad completa si no es en tu regazo, santo amado san toribio no permitas que su alma libre tormentas malignas que deseen opacar su alma, su salud y esta se pierda, extiende tus manos poderosas y rescata su salud para que pueda gozar del regocijo de la santísima familia porque quien contra el si sujetas su alma, se el médico, se el cirujano, se el enfermero, se el medicamento no solo corporal si no espiritual amen

siete padres nuestros

oración para los casos imposibles

con dios todo lo puedo, con dios todo lo logro, con dios todo lo supero, dios mi única compañía, dios mi único consuelo, dios mi único protector, gracias por enviarme al hermando san toribio de romo, gracias por atraer su santo espíritu hacia mí y si es tu voluntad lo invoco para que me ayude a solucionar este problema (decir el problema) para que mi vida no este triste y desolada, confundida y abatida, para que la alegría reine en mi caminar dedicándome a agradecer tanto amor y tanta protección y tanta bendicion llevando mi testimonio a todo aquel que lo necesite amen

leer el libro de job

oración para los que emprenden viaje migratorio

hoy empiezo un camino nuevo, hoy empiezo una nueva experiencia y una nueva vida, me consagro a ti san toribio para que me protegas en el camio se juntó a los ángeles mi custodio adelante, atrás, a mi izquierda y a mi derecha, prepara el lugar donde voy a llegar para que las personas me atiendan como un familiar agradable y me ayuden a cumplir mis metas , que nadie de corazón maligno tronque mi

camino o mi propósito abrázame
cuando este en peligro, que no me
falte la alimentación, la salud, el
amor, tu que siempre eres fiel
háblale a los ángeles de la ciudad
donde voy para que me protejan
y me llenen de bendiciones amen

cuatro credos

oración para los que están en la cárcel

he caído entre celdas por mis
errores y por escuchar la
tentación que me ha dejado

cautivo, te suplico san toribio que seas mi abogado, para librarme de esta cautividad no solo humana, sino espiritual, para poder respirar el aire de la casa espiritual y la de mi hogar o empezar de nuevo en tierras nuevas intercede ante dios por mi falla y mi pecado, porque teniendo el perdón puedo ser amigo tuyo y de dios, navegando en la predicación para rescatar almas al igual que me rescataste tu amen

dos credos

santo rosario

1- Persignación

2- Yo confieso

3- El credo

4- San toribio de romo me consagro a ti para que seas mi compañero en este plano terrenal

5- San toribio de romo se tu aquel que limpia y sana mi corazón para que en el habite siempre el altísimo

6- San toribio de romo expulsa de mi camino todo lo

negativo y ayúdame a batallar las pruebas del mundo que me impiden unirme al santísimo creador.

Primer misterio

Nació en Jalostotitlán el 16 de abril de 1900. A los 13 años inició sus estudios en el seminario auxiliar de San Juan de Lagos, y en 1920 ingresó al seminario de

Guadalajara. Se dedicó de lleno a los estudios y se inscribió en la Acción Católica en la que se distinguió por su actividad en obras católico-sociales. Fue ordenado sacerdote en 1922.

Diez santa maría

Un padre nuestro

Un gloria

Segundo misterio

Su primer destino fue Sayula, después Tuxpan, Yahualica, Cuquío y Tequila. Se dedicaba especialmente al catecismo y a preparar primeras comuniones colectivas, también se dedicó al apostolado con obreros. Propagó la devoción eucarística por medio de la "cruzada eucarística".

Diez santa maría

Un padre nuestro

Un gloria al padre

Tercer misterio

La persecución le obligó a vivir una vida de nómada junto con su párroco Justino Orona. Fundó su centro de actividades en una fábrica abandonada a mitad de una hermosa barranca, y acudía por la noche a la ciudad de Tequila.

Diez santa maría

Un padre nuestro

un gloria

Cuarto misterio

Al amanecer del 25 de febrero de 1928 una tropa de federales y agraristas irrumpió en la casa y en la habitación del padre. Al reconocerlo lo acribillaron en medio de insultos; los soldados le quitaron el traje, y llevaron el cadáver a tequila donde lo tiraron frente a la presidencia municipal. Después de 20 años sus restos regresaron a su pueblo natal y fueron colocados en la capilla construida por él.

Diez santa maría

Un padre nuestro

Un gloria

Quinto misterio

Fue beatificado el 22 de noviembre de 1992 y canonizado por el Papa Juan Pablo II el 21 de mayo del 2000. En Santa Ana de Guadalupe, municipio de Jalostotitlán (Jalisco) lugar de su nacimiento, fue edificado y consagrado el santuario de Santo Toribio, en el cual se encuentran sus restos en una urna de bronce. Este santuario fue diseñado por fray Gabriel Chávez De La Mora.

Diez santa maría

Un padre nuestro

Un gloria al padre

Printed in Great Britain
by Amazon